KU-663-469
avril
L M M J V S D
1 2 3 4 5
6 7 8 9 10 11 12
13 14 15 16 17 18 19
20 21 22 23 24 25 26
27 28 29 30

Contents

La France

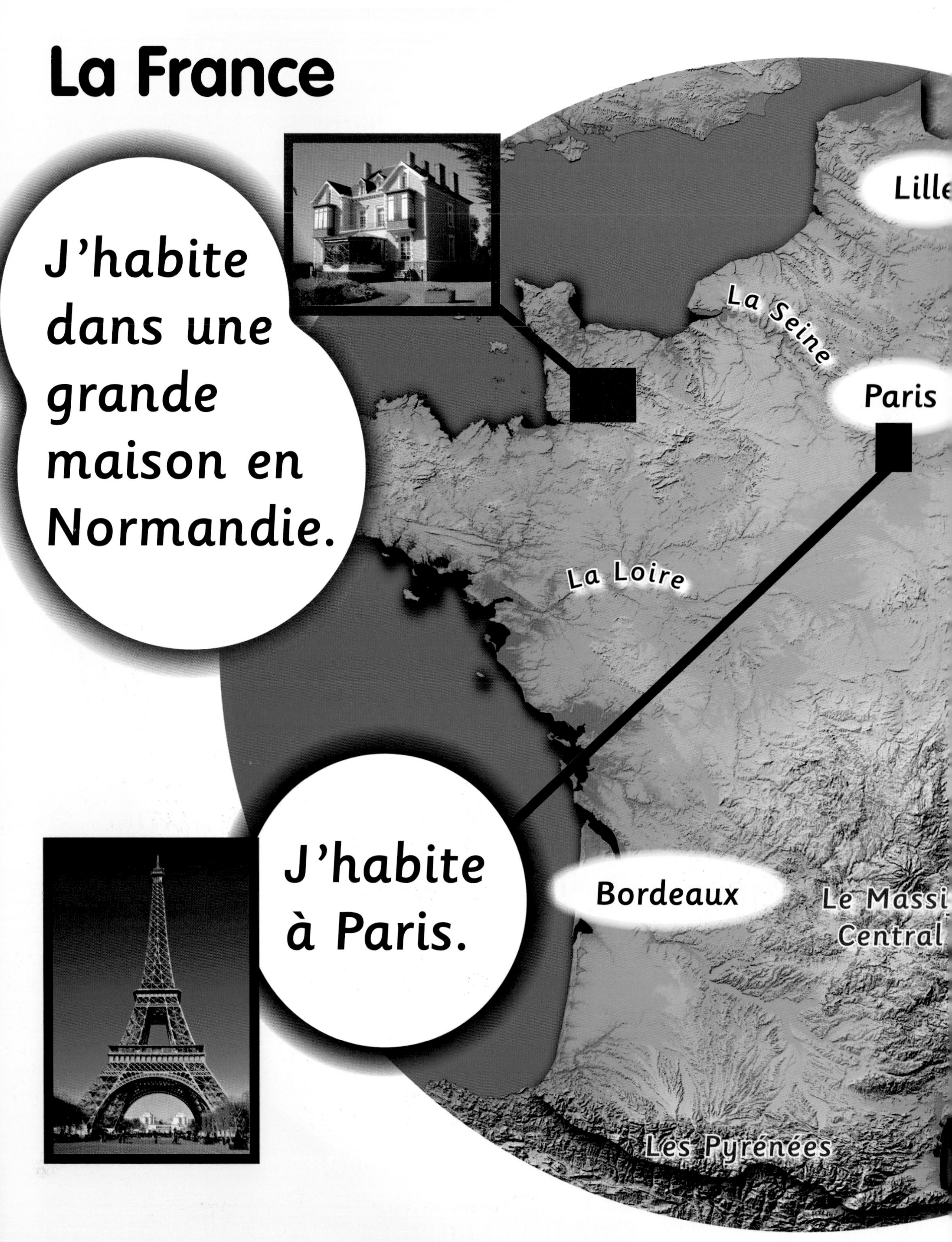
J'habite dans une grande maison en Normandie.
J'habite à Paris.
Lille
La Seine
Paris
La Loire
Bordeaux
Le Massi
Central
Les Pyrénées

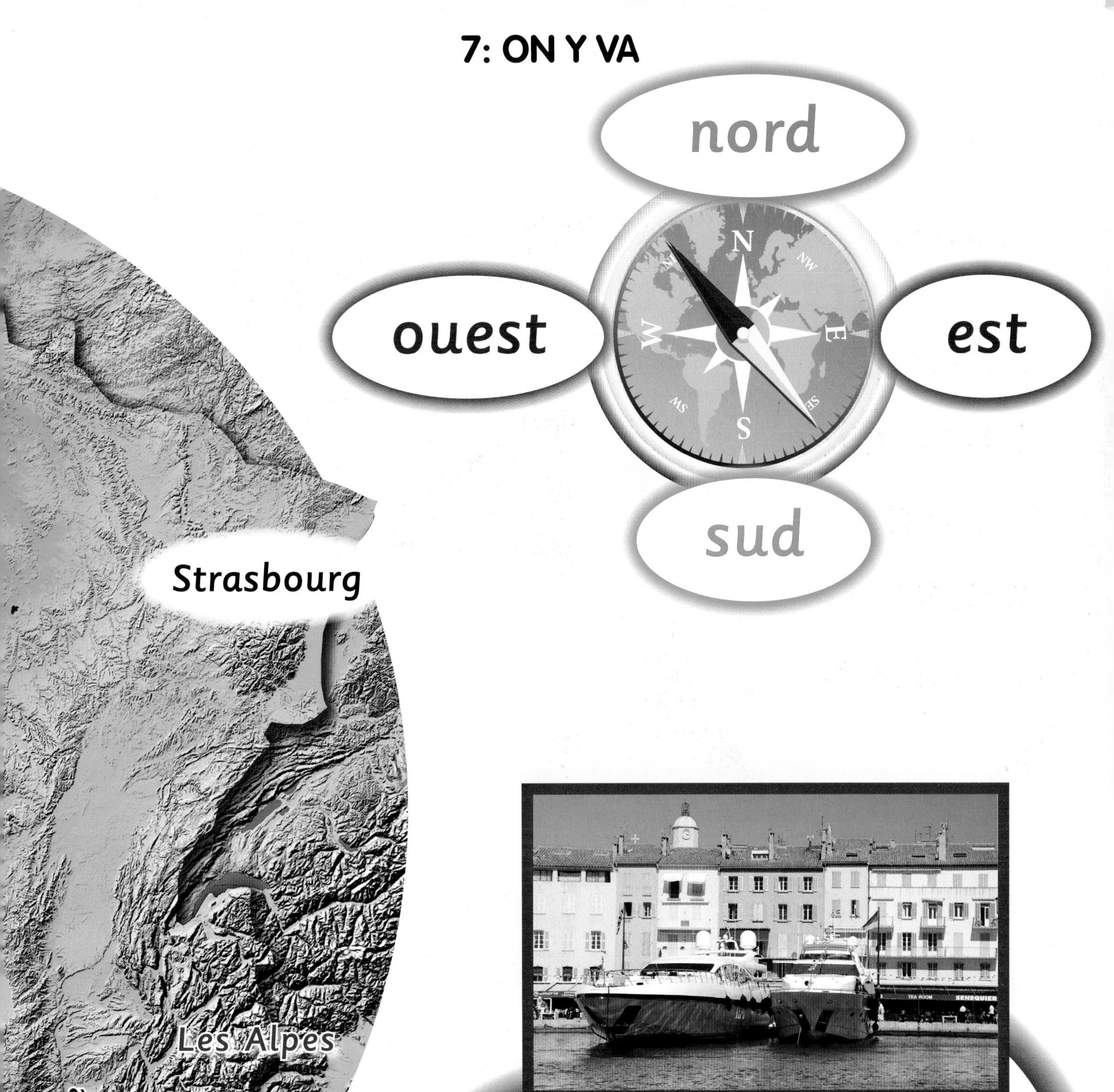

J'habite dans un bateau magnifique à St Tropez!

On y va

Je vais à l’école à pied.

Je vais à l’école en vélo.

Je vais à l’école en voiture.

Je prends la voiture.

7: ON Y VA

Je vais à l'hypermarché en voiture.

lundi

mardi

mercredi

jeudi

vendredi

samedi

dimanche

J'ai un billet.

LE BILLET 840905

Je vais à l'école en bus.

Je prends le bus.

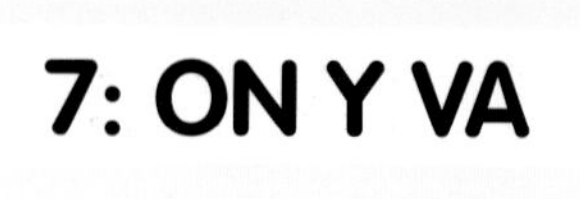

Où vas-tu?

Je vais en Grande Bretagne.
Je vais en Belgique.
Je vais en Allemagne.
Je vais en France.
Je vais en Espagne.
Je vais en Italie.

Je vais en Italie
en train.

Je prends le train.

Je vais en Espagne
en avion.

Je prends l'avion.

Mardi, en Belgique
je prends le bateau.
Je peux réserver un
billet, s'il vous plaît?

C'est combien?

C’est combien?
Un euro.

C’est combien?

Dix euros.

C’est combien?
Cinq centimes.

LE BALLON

€13

LA CONSOLE

€199

Je voudrais un
CD pour mon
anniversaire.

Je voudrais un CD
et une console pou
mon anniversaire.

LE TRAIN
€50
A. T. &
91
LES PELUCHES
€19
C'est magnifique!
Je n'ai pas d'argent.
AUSTRA

A VENDRE: POISSONS TROPICAUX
€50

Combien de poissons?

Je déteste ça. C'est nul.

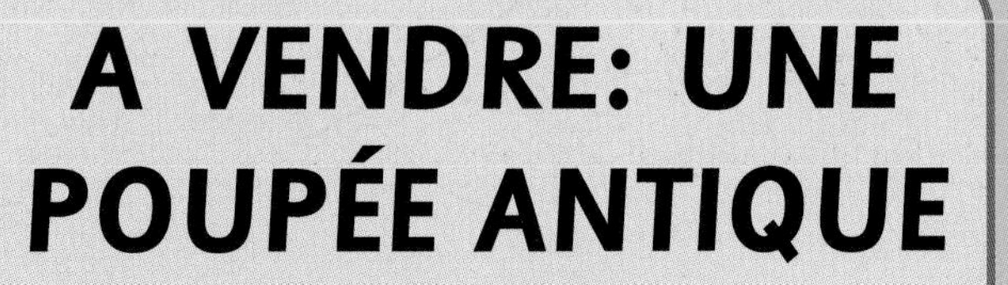

A VENDRE: UNE POUPÉE ANTIQUE

€14

vingt et un 

vingt-deux 

vingt-trois 23

vingt-quatre 24

vingt-cinq 

vingt-six 

vingt-sept

vingt-huit 

vingt-neuf 29

trente 

La belle au bois dormant

La belle, la belle au bois dormant, bois dormant, bois dormant.

La belle, la belle au bois dormant, bois dormant.

La belle, la belle, prends garde à toi, garde à toi, garde à toi.
La belle, la belle, prends garde à toi, garde à toi.

9: RACONTE-MOI UNE HISTOIRE!

La méchante méchante fée arrive, fée arrive, fée arrive.

La méchante méchante fée arrive, fée arrive.

Elle jette son sort « Tu dors cent ans! »
« Tu dors cent ans! »
« Tu dors cent ans! ».
Elle jette son sort « Tu dors cent ans! » « Tu dors cent ans! »

La haie d'épines
grandit grandit,
grandit grandit,
grandit grandit.

La haie d'épines
grandit grandit,
grandit grandit.

Le prince arrive il voit la belle,
voit la belle, voit la belle.

Le prince arrive il voit la belle,
voit la belle.

« Ma belle ma belle ouvre les yeux, ouvre les yeux, ouvre les yeux, ma belle ma belle ouvre les yeux, ouvre les yeux! ».

La belle épouse son prince charmant,
prince charmant, prince charmant.

L'éléphant
– il est petit.
La souris
– elle est
grande.
Challenge!
Vrai ou faux?
Le cheval
galope.
Le lapin ne
galope pas.
Répétez
Répétez
Regardez
Ecoutez

Asseyez-vous
Levez-vous
Taisez-vous
Tais-toi

dix + dix = ?

vingt + dix = ?

neuf + dix = ?

quarante + dix = ?

quarante 40

cinquante 50

soixante 60

soixante-dix 70

quatre-vingts 80

quatre-vingt-dix 90

cent 100

Levez la main

Qu'est-ce que tu fais aujourd'hui?

Je fais
du vélo.
Je fais
du skate.
Je fais de la danse.
Je fais de
la natation.

La nourriture

le yaourt

le jus d'orange

une pomme

le cola

le chocolat

les bonbons

le burger

Que manges-tu aujourd'hui?

C'est bon pour la santé?
Non, trop de burgers sont mauvais pour la santé.
Oui, les fruits sont bons pour la santé.

Où habites-tu?

Où habites-tu?
J'habite dans...

une grande ville

une maison

une ville

Tu habites où?
J'habite à Londres.

Dans quelle rue?
J'habite 'rue de la République'.

5
RUE
DE LA
RÉPUBLIQUE

J'habite dans un appartement à Lyon.

J'habite avec ma mère et mon père au numéro cinq.

La mer

le poisson
la pieuvre
le requin
la raie
le corail
les poissons tropicaux

La ferme

la vache
l'âne
la chèvre
le mouton
le canard
la poule
le cochon
la tortue

La savane

le lion
la giraffe
Le lion est féroce.
l'éléphant
le kangourou

La forêt

l'oiseau

l'écureuil

la biche

le coucou

le renard

Dans la forêt lointaine.
On entend le coucou.
Du haut de son grand chêne.
Il répond au hibou.
Coucou, coucou.
On entend le coucou.
Coucou, coucou.
On entend le coucou.

Les animaux de la forêt sont timides.

Quelle heure est-il?

une heure

cinq heures

deux heures

six heures

trois heures

sept heures

quatre heures

huit heures

neuf heures

midi/ minuit

dix heures

onze heures

Quelle heure est-il?
Cinq heures.
C'est l'heure
du carnaval!

Quel temps fait-il?

Il fait chaud.

Il fait froid.

Il fait beau.

Il fait mauvais.

Il fait du soleil.

Il fait du vent.

Il pleut.

Il neige.

Il gèle.

Il fait...
Il fait quelle température? C'est vingt-neuf degrés.
°C
°F
100
90
80
70
60
50
40
30
20
10
0
–10
–20
–30
–40
220
210
200
190
180
170
160
150
140
130
120
110
100
90
80
70
60
50
40
30
20
10
0
–10
–20
–30
–40
frais
humide
zéro
nuageux
du brouillard
moins

Quelle est la date?

Il fait moins cinq degrés.

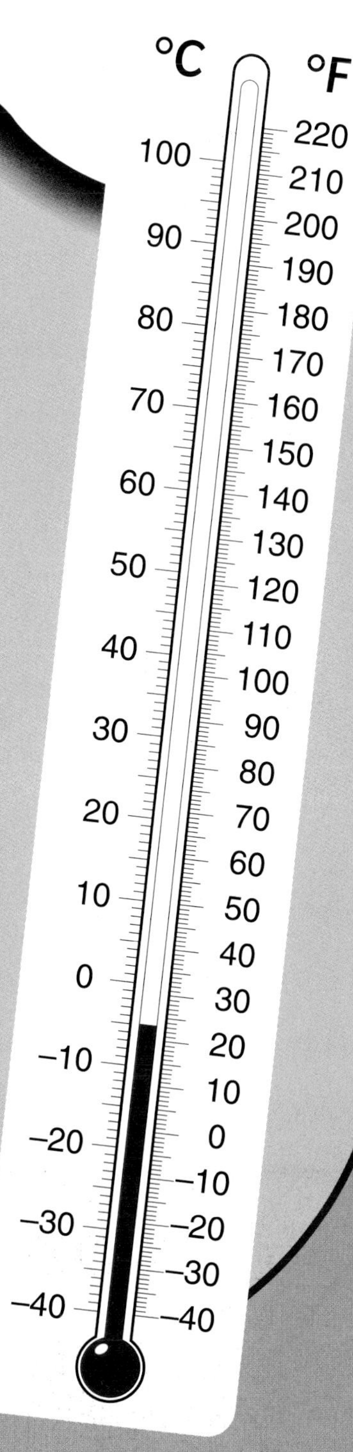

janvier

avril

juillet

octobre

novembre

lundi 5 juin

le 5 juin

Quand il pleut il te faut un parapluie.

un parapluie

un manteau

Quand il neige il te faut des bottes et des gants.

des gants

des bottes

Quand il fait du soleil il te faut des lunettes de soleil.
un chapeau
des lunettes de soleil

Vocabulaire

Unit 7

Core language	
Je vais à l'école	I go to school
à pied	on foot
en voiture	by car
en vélo	by bike
en bus	by bus
Où vas-tu?	Where are you going?
Je vais ...	I'm going ...
en Belgique	to Belgium
en France	to France
Il fait chaud	It is hot
Il fait froid	It is cold
Il fait beau	It is fine
Il fait mauvais	It is bad weather
Il fait du soleil	It is sunny
Il fait du vent	It is windy
Il pleut	It is raining
lundi, mardi, mercredi, jeudi,	Monday, Tuesday, Wednesday,
vendredi, samedi, dimanche	Thursday, Friday, Saturday, Sunday
Additional language	
nord	North
sud	South
est	East
ouest	West
en train	by train
en avion	by plane

Unit 8

Core language	
J'adore ...	I love ...
Je déteste ...	I hate ...
ça	that
vingt et un, vingt-deux, vingt-trois, vingt-quatre, vingt-cinq, vingt-six, vingt-sept, vingt-huit, vingt-neuf	21–29
trente	30
C'est combien?	How much is it?
un euro	one euro
C'est super, magnifique, fantastique	It's great, magnificent, fantastic
Je n'ai pas de ...	I don't have ...
Additional language	
miam, miam!	yum!
berk!	yuck!
pour mon anniversaire	for my birthday
un CD	a CD
un football	a football
une console	a games console
une peluche	a soft toy
une poupée	a doll
génial, hyper-cool	brilliant/great, cool
nul	useless

Unit 9

Core language

Regardez	Look
Répétez	Repeat
Ecoutez	Listen
quarante	40
cinquante	50
soixante	60
soixante-dix	70
quatre-vingts	80
quatre-vingt-dix	90
cent	100
Il/Elle est ...	He/She is ...
grand/e	big (masculine/ feminine)
petit/e	small (masculine/ feminine)
vrai	true
faux	false

Additional language

nord	North
la belle	Sleeping Beauty
la méchante fée	the wicked fairy
la haie d'épines	the hedge of thorns
Ouvre les yeux	Open your eyes
Tu dors cent ans	You will sleep for 100 years
charmant/e	charming (masculine/ feminine)
méchant/e	wicked (masculine/ feminine)
Levez-vous	Stand up
Asseyez-vous	it down
Levez la main / le doigt	Put your hand/finger up
Taisez-vous/Tais-toi	Be quiet (plural/ singular)

Unit 10

Core language

Qu'est-ce que tu fais (lundi)?	What are you doing / do you
do (on Monday)?	
Je joue au tennis / au cricket / au basket	I play tennis/ cricket/basketball
Je fais du vélo / du skate / de la danse / de la natation	I ride my bike/ skateboard/dance/ swim
zéro	zero
le jus d'orange	orange juice
le yaourt	yoghurt
le poisson	fish
une pomme	an apple
les carottes	carrots
le chocolat	chocolate
le coca	coca-cola
les frites	chips
les bonbons	sweets
Oui, c'est bon pour la santé	Yes, it's good for your health
Non, c'est mauvais pour la santé	No, it's bad for your health

Unit 11	
Core language	
Où habites-tu?	Where do you live?
J'habite dans ...	I live in ...
rapide	quick
lent	slow
rapidement	quickly
lentement	slowly
doucement	softly
fort	strong, loud(ly)
Quelle heure est-il?	What's the time?
une heure, deux heures, trois heures, quatre heures, cinq heures, six heures, sept heures, huit heures, neuf heures, dix heures, onze heures, midi/minuit	one o'clock, etc
Additional language	
le lion	the lion
le coq	the cock
le kangourou	the kangaroo
le poisson	the fish
le coucou	the cuckoo
l'éléphant (m)	the elephant
l'âne (m)	the donkey
l'oiseau (m)	the bird
la tortue	the tortoise
la poule	the hen
le cygne	the swan
timide	timid
féroce	fierce
plat	flat
C'est l'heure du carnaval!	It's carnival time!
la savane	the savanna
la forêt	the forest
la mer	the sea

Unit 12	
Core language	
Il neige	It's snowing
Il gèle	It's freezing
Quand ... il te faut ...	When ... you need ...
moins	minus
lundi 5 juin, etc	Monday 5th June, etc
le 5 juin, etc	the 5th June, etc
Additional language	
un manteau	a coat
un chapeau	a hat
un parapluie	an umbrella
une écharpe	a scarf
des gants	gloves
des bottes	boots
des lunettes de soleil	sunglasses